ABER1 ____

A
RHAN ISAF DYFFRYN TEIFI
MEWN HEN LUNIAU

CARDIGAN
AND
THE LOWER TEIFI VALLEY
IN OLD PHOTOGRAPHS

Gwilym Jones y gyrrwr yn sefyll o flaen fan E.L. Griffiths, County Stores, Aberteifi.
Gwilym Jones driver for E.L. Griffiths, County Stores, Cardigan.

ABERTEIFI

A

RHAN ISAF DYFFRYN TEIFI

MEWN HEN LUNIAU

CASGLWYD GAN YR

ADRAN GWASANAETHAU DIWYLLIANNOL

CARDIGAN

AND

THE LOWER TEIFI VALLEY

IN OLD PHOTOGRAPHS

COLLECTED BY

DYFED CULTURAL SERVICES DEPARTMENT

ALAN SUTTON
1989

CYNGOR SIR
DYFED
COUNTY COUNCIL

Alan Sutton Publishing
Gloucester

Cyhoeddwyd ar y cyd â
Published in collaboration with

Adran Gwasanaethau Diwylliannol
Cultural Services Department
CYNGOR SIR

COUNTY COUNCIL

Cyhoeddwyd gyntaf yn 1989
First published 1989

Manylion catalogio y Llyfrgell Brydeinig
British Library Cataloguing in Publication Data

The Teifi Valley in old photographs.
1.   Dyfed, history
I.   Dyfed Cultural Services Department
942.9'6

ISBN 0–86299–691–0

Cysodi a gwaith gwreiddiol gan
Typesetting and origination by
Alan Sutton Publishing
Argraffywyd ym Mhrydain Fawr
Printed in Great Britain by
Dotesios Printers Limited

CYNNWYS • CONTENTS

William Johnson. *Coryglwr*/Coracleman, Awelfa, Cilgerran.

RHAGYMADRODD

Drwy gyfrwng y lluniau yn y gyfrol hon, ceir darlun o hanes cymdeithasol ac economaidd yr ugain milltir hynny o Ddyffryn Teifi sy'n ymestyn o'r rhaeadr yn Henllan hyd lan y môr yn Poppit, yn ogystal â rhai o bentrefi bychain de-orllewin Ceredigion, megis Aber-porth, Tre-saith a Rhydlewis.

Dengys y lluniau yr amrywiaeth eang o weithgarwch economaidd a fu unwaith yn rhan o fywyd y dyffryn: pysgota, amaethyddiaeth, y diwydiant gwlân a'r chwareli llechi. Yn sicr, yr oedd i bysgota le amlwg yn yr economi leol, ac am genedlaethau lawer bu coryglwyr yn pysgota'r Teifi yng Nghilgerran, Llechryd a Chenarth am sewin ac eog.

O ddiwedd yr ail ganrif ar bymtheg ymlaen, bu cynnydd ym mhwysigrwydd pysgota-môr, ac erbyn 1701 roedd barilau o bysgod yn cael eu hallforio cyn belled â'r Ynysoedd Dedwydd. Ceir lluniau o griwiau pysgota Llandudoch ac Aber-porth yn y gyfrol hon. Yr oedd yn Aberteifi borthladd prysur, ac allforid nwyddau eraill heblaw pysgod – ac nid nwyddau'n unig chwaith, ond pobl yn ogystal. Gadawodd aml i weithiwr amaethyddol tlawd yr ardal i chwilio am fywyd newydd yn America. Yn ddiweddarach, fel yr edwinai'r diwydiant pysgota a'r fasnach fôr, daeth bywyd tymhorol newydd i bentrefi'r arfordir, fel y cynyddai'r arfer o drefnu gwibdeithiau arbennig o'r ardaloedd cefn-gwlad cyfagos.

Mae lluniau Tom Mathias – y cynhwysir nifer ohonynt yn y gyfrol hon – yn cofnodi'n fanwl weithgareddau amaethyddol ardaloedd Cilgerran, Llechryd a Boncath. Dengys ei luniau ardderchog gynifer a gyflogid yn y diwydiant cyn dyddiau'r cynnydd cyffredinol yn y defnydd o'r peiriant petrol. Tynnodd Mathias luniau niferus o grefftau a diwydiannau eraill yr ardal, ond ei luniau o'r chwareli llechi sydd fwyaf dramatig, o bosib, am eu bod yn adlewyrchu holl beryglon y diwydiant hwnnw.

Disgrifiwyd ardal Dre-fach Felindre fel un o brif ardaloedd y diwydiant

Cwch pysgota'r King a'r criw yn aber Afon Teifi.
The fishing boat *King* and crew in the Teifi Estuary.

7

Aber-porth, c. 1900.

gwlân yng Nghymru ddiwedd y bedwaredd ganrif ar bymtheg. Datblygodd yn yr ardal draddodiadol wledig hon gymunedau rhannol-ddiwydiannol a'u bywyd cymdeithasol yn nodweddiadol o fywyd cymdeithasol cymoedd y De, a'u corau a'u bandiau.

Mae'r lluniau a gynhwysir nid yn unig yn darlunio'r diwydiannau sydd wedi diflannu, ac yn amlygu maint y newidiadau economaidd, ond hefyd yn portreadu bywyd cymdeithasol cymunedau Dyffryn Teifi. Amlygir yr holl newidiadau a wnaethpwyd. Diflannodd y ffenestri siopau gwreiddiol a chymerwyd eu lle gan wynebau undonog y cwmnïau mawr cenedlaethol. Lledwyd ffyrdd, dymchwelwyd tai a hyd yn oed strydoedd cyfain. Ond erys rhai lleoedd yn ddigyfnewid ar ôl can mlynedd a mwy, fel y dengys lluniau C.S. Allen o Raeadr Cenarth a phont Castellnewydd Emlyn.

Roedd Stryd y Bont a'r bont yng Nghastellnewydd Emlyn yn destunau poblogaidd gan ffotograffyddwyr ar ymweliad â'r ardal. Ceir yn y gyfrol nifer o olygfeydd tebyg – yn edrych i lawr Stryd y Bont a thros y bont i Atpar yr ochr arall i'r afon. Yn Atpar ym 1718 y sefydlodd Isaac Carter y wasg argraffu gyfreithlon gyntaf yng Nghymru. Erbyn heddiw mae'n anodd esbonio rhai enwau lleoedd ac enwau strydoedd, gan fod y rheswm gwreiddiol am yr enw wedi diflannu, ond mae'n amlwg ar unwaith o'r llun o Stryd y Sycamor-wydden, a'r goeden fawr yn ei chanol, sut y cafodd y stryd honno'i henw.

Y mae Aberteifi heddiw yn dref farchnad sy'n gwasanaethu rhan helaeth o Dde Ceredigion a Gogledd Preseli. Collodd lawer o'i diwydiannau; caewyd y gweithfeydd haearn a diflannodd y iardiau llongau. Ar y ffordd y cludir nwyddau i'r dref bellach, ac nid newn llongau nac ar y rheilffordd. Saif y cei yn wag ac yn ddistaw ond, fel y dengys y lluniau, nid felly roedd hi 'slawer dydd.

Yn anffodus – ond yn anochel – detholiad yn unig o'r lluniau y gwyddom amdanynt a gynhwyswyd yn y gyfrol hon; mae'n siwr fod llawer rhagor eto ar gael yn y gymuned. Mae'r lluniau i gyd yn cynnwys toreth o wybodaeth; maent yn ddogfennau hanesyddol a chymdeithasol pwysig i'w diogelu ar gyfer cenedlaethau'r dyfodol.

INTRODUCTION

The photographs in this book depict the social and economic history of nearly 20 miles of the Teifi Valley from Henllan Falls to the sea at Poppit. In addition, some of the smaller villages of south west Cardiganshire, such as Aber-porth, Tre-saith and Rhydlewis are included.

The tremendous range of economic activity that occurred throughout the valley is illustrated by these photographs. They show fishing, agriculture, woollen manufacturing, slate quarrying and a whole range of other industrial activities. Clearly, fishing played an important role in the local economy. Coraclemen at Cilgerran, Llechryd and Cenarth fished the Teifi for sewin and salmon as their predecessors had done for many generations.

From the late seventeenth century onwards sea fishing grew in importance and, by 1701, barrels of fish were being exported to places as far away as the Canary Islands. The fishing fleets at St Dogmaels and Aber-porth are illustrated in this book. As well as the exporting of fish, other sea going trade occurred in which the port of Cardigan was heavily involved. It was not just goods that left Cardigan quay but also people. Many a poor agricultural worker left the area bound for a new life in America. In later years, as sea trade and fishing declined, the coastal villages developed with the influx of seasonal visitors, many of whom were from local inland villages on special 'trips'.

Tom Mathias, many of whose photographs are included in this book, recorded agricultural activities in the Cilgerran, Llechryd and Boncath areas in some detail. His excellent photographs show how labour intensive the industry was before the widespread use of the petrol engine. Mathias also photographed many other crafts

Stryd y Priordy, Aberteifi, c. 1930.
Priory Street, Cardigan, c. 1930.

9

and trades in the area, but his pictures of the slate quarries are perhaps the most dramatic as they vividly illustrate the dangers involved.

The Dre-fach Felindre district has been described as one of the most important textile manufacturing areas in Wales in the late nineteenth century. In what was essentially a rural area, semi-industrial communities developed with a social life reminiscent of that of the South Wales industrial valleys with its choirs and bands.

The photographs included not only illustrate the industries that have disappeared and the pace of economic change, but also provide an insight into the social life of the Teifi Valley communities. In addition we can see how places have changed and altered over the years. The old shopfronts have gone to be replaced by the standard façades of national companies. Roads have been widened, houses and even whole streets have gone. Many places, though, have remained virtually unchanged for over 100 years as C.S. Allen's photographs of Cenarth Falls and Newcastle Emlyn bridge and castle clearly show.

Bridge Street and the bridge at Newcastle Emlyn were favourite subjects for visiting photographers. There are a number of similar views in the book which look down Bridge Street and across the bridge to Adpar on the opposite side of the river. It was at Adpar in 1718 that the first printing press in Wales was established. We often wonder how streets come to be named, particularly when no visible clues exist today. The photograph of Sycamore Street with a large tree in the street soon answers the question.

Today Cardigan is the market town for much of South Cardigan and North Preseli. It has, however, lost much of its industry, its foundries have closed and its shipyards have disappeared. Manufactured goods are no longer brought in by sea and rail but by road. Its quay stands empty and quiet. As the photographs show, this was not always the case. It is still busy and bustling but perhaps the crowds do not gather quite as frequently.

Unfortunately, but inevitably, only a selection of the photographs known to us have been included in this publication. Clearly many more exist in the community which were not available. All these photographs are significant social history documents which contain a wealth of information and as such are worthy of preservation for future generations.

Llandudoch ac Aber yr Afon
St Dogmaels and the Mouth of the Estuary

Kate, 1910. *Chwith ir dde*/left to right: Gomer Lloyd (Rock Cottage); Davy Davies; Jack Lockney (Velindre House); Jack Thomas (Netpool Inn); John Rees (Castle View); Thomas Bowen – *Peilot*/Pilot (Penally); John Griffiths (Cippyn).

Cychod pysgota ar y Pinog, Llandudoch, c. 1910.
Fishing boats at the Pinog, St Dogmaels, c. 1910.

Pysgotwyr Llandudoch tu allan i Dafarn y Teifi, c. 1910.
St Dogmaels fishermen outside the Teifi Inn, c. 1910.

Dal eog yn aber afon Teifi, c. 1900.
Landing a salmon catch in the Teifi Estuary, c. 1900.

Lansio bad achub Llandudoch, c. 1900.
Launching the St Dogmaels lifeboat, c. 1900.

Thomas Bowen, Glanteifion, Llandudoch/St Dogmaels.
Thomas Bowen, pysgotwr a pheilot, a fu'n llywio'r bad achub am 19 mlynedd. Ar ei frest mae'n gwisgo medal efydd Sefydliad Brenhinol Cenedlaethol y Bad Achub a ddyfarnwyd iddo yn 1919 am achub criw'r SS Conservator.
Thomas Bowen, fisherman and pilot, was coxwain of the lifeboat for nineteen years. He is wearing the RNLI bronze medal awarded to him in 1919 for rescuing the crew of SS *Conservator*.

Yn sefyll ail o'r chwith: Capten Smith SS Titanic. *Yn eistedd cyntaf ar y chwith: Capten William Thomas, Tafarn y Sloop, Llandudoch. Capten Thomas oedd yr ail ddewis ar gyfer capteniaeth y* Titanic!

Standing second left: Captain Smith SS *Titanic*. Seated first left: Captain William Thomas, Sloop Inn, St Dogmaels. Captain Thomas was second choice for captain of the *Titanic*!

Tom James Bowen, Fern Grove, Llandudoch 1894–1968. Peilot olaf afon Teifi.
Tom James Bowen, Fern Grove, St Dogmaels 1894–1968. Last River Teifi pilot.

Ben Richards, Union Terrace, Llandudoch.
peilot afon.
Ben Richards, Union Terrace, St Dogmaels, river
pilot.

Eilyddion y Llynges yn Llandudoch cyn y Rhyfer Mawr.
Naval reserves at the Battery, St Dogmaels, before the First World War.

Cwch yn dod i fyny Afon Teifi, c. 1935.
A vessel steaming up the Teifi, c. 1935.

Ysgol Sul Capel Babell. Ymweliad â Poppit, 1913.
Babell Chapel Sunday School, Cilgerran. Outing to Poppit, 1913.

Ymwelwyr ar draeth Poppit, c. 1935.
Visitors to Poppit Sands, c. 1935.

Capel Mount Zion, Aberteifi. Ymweliad â Gwbert ym 1898.
Mount Zion Chapel, Cardigan. Visit to Gwbert in 1898.

Agorwyd estyniad i hen westy'r Gwbert gan Mrs Evelyn Morgan-Richardson ym 1890.
An extension to the old Gwbert Inn was opened in 1890 by Mrs Evelyn Morgan-Richardson.

Gwesty'r Cliff, Gwbert, Aberteifi, c. 1910.
Cliff Hotel, Gwbert, Cardigan, c. 1910.

Traeth Cowley, Gwbert.
Cowley Beach, Gwbert.

Gwesty'r Cliff, Gwbert, Aberteifi, c. 1910. Bwriadwyd datblygu Gwbert fel Brighton newydd.
Cliff Hotel, Gwbert, Cardigan, c. 1910. It was intended to develop Gwbert as a new Brighton.

Gwili yn dathlu ei briodas arian yn Gwbert, 1935.
Gwili's Silver Wedding party at Gwbert, 1935.
*Rhes gefn/*Back row: *Parch/*Revd T.E. Davies, Emrys Morgan, *Parch/*Revd D.J. Davies.
*Rhes ganol/*Middle row: *Parch/*Revd J.M. Lewis, Mrs E. Davies, Mrs S. Jones, Miss Jones,
Miss M. Thomas, *Parch/*Revd S.B. Jones, *Parch/*Revd J.N. James. *Rhes flaen/*Front row:
Miss D. Thomas, *Gwili a'i wraig/*Gwili and wife, Mr W.P. Thomas, Miss T. Thomas.

Cynhaeaf gwair ardal y Ferwig, c. 1930.
Haymaking, Ferwig district, c. 1930.

Ysgol y Bechgyn, Llandudoch, c. 1905.
St Dogmaels Boys' School, c. 1905.
Rhes gefn/Back row: W. Sambrook; William Davies; Picton John; Garfield Francis; Fred Francis; -?-; Will Williams; -?-; ? Joseph; Tom Sharp; *Pedwaredd res*/Fourth row: -?-; -?-; Tom James; Peter John; John Lloyd James; Hector Davies; -?-, Iwan (Capel Seion); -?-; Tom James Bowen. *Trydedd res*/Third row: Willie Hughes; -?-; Ben Ladd; Oliver Davies; Dewi Griffiths; Richard Ladd; Amry Jones; Clement Davies; William Morgan Richards; Millie Nicholas. *Ail res*/Second row: *athro*/teacher; D.J. Thomas (Llys Cynwyl); -?-; George Davies (Bryngwyn); Dai; Willie Ladd; Sharp; Tom Jones' *brawd*/brother; Tom Oswald Davies; Blodwen Lewis; John Thomas' *gwraig*/wife; Miss Lewis (Bryn Hyfryd); Maggie Parry; -?-. *Rhes flaen*/Front row: Joe Davies (Rhoshill); Dai Davies (Poppit); -?-; Tom Ffransis John; -?- (*Wyrcws*/Workhouse); -?- (*Wyrcws*/Workhouse); Harold Williams; Shadrac Davies; -?-; Simon Davies (Rhoshill); Mr Evans (Pencwm); Eddie Gwynne.

Billy a'i asyn tu allan i Swyddfa Bost, Llandudoch.
Billy and his donkey outside the Post Office, St Dogmaels.

Netpool Aberteifi yn edrych i gyfeiriad Llandudoch, c. 1900.
The Netpool, Cardigan, looking towards St Dogmaels, c. 1900.

Y Netpool, c. 1935.
The Netpool, c. 1935.

Netpool Aberteifi. Safle diwydiant adeiladu llongau Aberteifi. Adeiladwyd dros 100 o longau yma rhwng 1800 a 1850.
Netpool, Cardigan. The site of Cardigan's shipbuilding industry. Over 100 ships were built here between 1800 and 1850.

Aber-porth, Tresaith

Dadlwytho'r llongau cwlwm ar Draeth y Llongau, Aber-porth, c. 1880.
Unloading the culm boats on 'Shipbeach', Aber-porth, c. 1880.

Aber-porth yn dangos Traeth y Dyffryn neu Traeth y Llongau i'r gogledd a Traeth y Plas i'r de, c. 1900.
Aber-porth showing Dyffryn Beach or Shipbeach to the north and Plas Beach to the south, c. 1900.

Aber-porth, c. 1900.

Cychod sgadana traddodiadol a smac masnach ar Draeth y Dyffryn, Aber-porth, c. 1905.
Traditional herring boats and a trading smack on Traeth y Dyffryn, Aber-porth, c. 1905.

Aber-porth, c. 1900.

Aber-porth, c. 1900. Sylwch ar yr odynau calch gyferbyn â'r maes parcio presennol.
Aber-porth, c. 1900. Note the lime kilns adjacent to the present car park.

Aberporth.

Aber-porth, c. 1900.

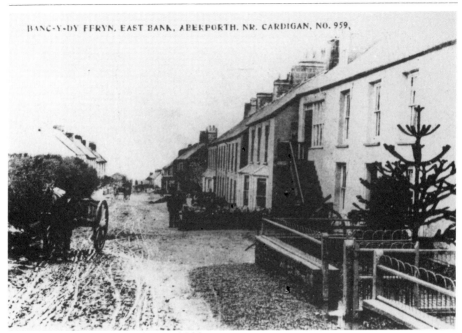

BANC-Y-DY FFRYN, EAST BANK, ABERPORTH. NR. CARDIGAN, NO. 959,

Banc y Dyffryn, Aber-porth cyn 1900.
East Bank, Aber-porth before 1900.

Penparc, Aber-porth, c. 1920.

Tynnwyd y llun ar ôl un o bartîon te Jane Harper, a gynhaliwyd yn y Criterion Tea Rooms i ddathlu diwedd y Rhyfel Mawr.
Jane Harper's Group taken after a tea held at Criterion Tea Rooms to celebrate the end of the First World War.

G.R. Bruce, pensaer Sir Aberteifi, yn cyflwyno'r allwedd i Roderic Bowen AS ar achlysur agor Ysgol Gynradd Aber-porth, 4 Hydref 1957.
G.R. Bruce, County Architect, presenting the key to Roderic Bowen MP at the official opening of Aber-porth's primary school, 4 October, 1957.

Clirio'r tir cyn adeiladu Sefydliad yr Awyrlu, Aber-porth, 1939.
Starting work on the construction of the Royal Aircraft Establishment, Aber-porth, 1939.

Y Tywysog Phillip yn arolygu deunydd militaraidd arbrofol yn Aber-porth, 1957.
Prince Phillip inspecting experimental military equipment at Aber-porth, 1957.

Y slŵp Ruth *yn dadlwytho ar y traeth, Tre-saith, c. 1910.*
The sloop *Ruth* unloading its cargo on the beach at Tre-saith, c. 1910.

Tre-saith, c. 1900.

Mwynhau'r traeth yn Nhre-saith ar ddechrau'r ganrif.
Edwardian holidaymakers enjoying Tre-saith beach.

Tre-saith, c. 1910.

Tre-saith, c. 1930.
Gwelir cartref yr awdures Allen Raine yn y pellter.
Allen Raine's house shows on the skyline.

Tre-saith, c. 1900.
Sylwer ar yr odyn galch ger y llwybr sy'n arwain i'r traeth.
Note the lime kiln by the path leading to the beach.

Tre-saith, 1905.

Anne Adalisa Puddicombe (Allen Raine) 1836–1908.

Cartref Allen Raine – Bron-Môr, Tre-saith, c. 1900. Ganed yn Stryd y Bont, Castell-newydd Emlyn yn 1836 yn ferch i'r cyfreithiwr Benjamin Evans. Priododd Beynon Puddicombe ym 1872 ac oherwydd salwch symudodd i Dre-saith yn 1900. Bu farw Beynon ym 1906 a'i wraig ddwy flynedd yn ddiweddarach. Ym 1896 ceisiodd gyhoeddi'r nofel Mifanwy *a methodd. Ond newidiodd deitl y nofel i* A Welsh Singer *a'i henw hithau i Allen Raine ac fe'i cyhoeddwyd. Cyhoeddwyd rhagor o nofelau ac erthyglau o'i gwaith.*

Allen Raine's house – Bron-Môr, Tre-saith, c. 1900. Born in Bridge Street, Newcastle Emlyn in 1836, she was the daughter of Benjamin Evans, a lawyer. She married Beynon Puddicombe in 1872 and because of his ill-health moved to Tre-saith in 1900, where he died in 1906 and she two years later. In 1896 she tried to publish a novel *Mifanwy* and failed. By changing the title to *A Welsh Singer* and her name to Allen Raine she succeeded. Other novels and articles soon followed.

Gwibdaith i Dre-saith yn 1934.
A trip to Tre-saith in 1934.

Cynhaeaf gwair Cwmporthnau, Blaen-porth, c. 1900.
Haymaking, Cwmporthnau, Blaen-porth, c. 1900.

Aberteifi
Cardigan

Fan ddosbarthu Popty Volk a'r gyrrwr Willie Davies, Y Strand, Aberteifi.
Delivery van of Volk's Bakery, Cardigan, with its driver, Willie Davies, The Strand, Cardigan.

Pont Aberteifi, 1895. Castell Aberteifi ac ar y dde y tai ar hyd Y Strand a ddymchwelwyd yn ddiweddarach er mwyn lledu'r heol.

Cardigan Bridge, 1895. Cardigan Castle and houses along The Strand, later demolished during road widening, can be seen on the right.

Pont Aberteifi.
Cardigan Bridge.

Yr Afon Teifi ger Eglwys y Santes Fair.
The River Teifi by St Mary's Church.

Aberteifi a Stryd y Priordy o dŵr Eglwys y Santes Fair yn 1895.
Cardigan and Priory Street from St Mary's Church tower in 1895.

Eglwys y Santes Fair, c. 1869. Ar y chwith mae gweddillion Capel Mair a adeiladwyd ym 1831.
St Mary's Church, c. 1869. The remains of Capel Mair, first built in 1831, are shown in the foreground.

Gwaelod Stryd y Priordy, c. 1905.
Lower Priory Street, c. 1905.

Yr Ysbyty Coffa a'r Eglwys, Aberteifi.
The Memorial Hospital and church, Cardigan.

Mrs Lloyd George ar ei ffordd i agor yr Ysbyty ar 28 Gorffennaf 1922.
Mrs Lloyd George on her way to open the hospital, 28 July 1922.

Stryd Fawr, Aberteifi, 1870. Ar y chwith mae siop fferyllydd Seabourne Evans.
High Street, Cardigan, 1870. On the left can be seen the chemist shop of Seabourne Evans.

Stryd Fawr Aberteifi yn edrych tua'r bont, c. 1900.
High Street, Cardigan, looking towards the bridge, c. 1900.

Siop J.R. Daniel a'i Fab, Stryd Fawr, Aberteifi, c. 1930. Yn sefyll o flaen y siop mae Mr J.R. Prosser a Miss Evans.
J.R. Daniel & Son's, furniture shop, High Street, Cardigan, c. 1930. Standing in front of the shop are Mr J.R. Prosser and Miss Evans.

Stryd Fawr Aberteifi yn edrych tua'r gogledd, c. 1900.
High Street, Cardigan, looking northwards, c. 1900.

Stryd Fawr Aberteifi, c. 1910.
High Street, Cardigan, c. 1910.

Sgwâr Neuadd y Dre, Aberteifi yn edrych i fyny Pendreg, c. 1930.
Guildhall Square, Cardigan, looking up Pendre, c. 1930.

Gosodwyd carreg sylfaen adeiladau bwrdeisiol Aberteifi gan y maer R.D. Jenkins ym 1858. Erbyn 1860 safai ysgol, marchnadoedd cig ac ŷd yn ogystal â'r neuadd ar y safle. Adeiladwyd y cloc ym 1892.

The foundation stone of Cardigan's municipal buildings was laid in 1858 by the mayor R.D. Jenkins. By 1860 a school, meat and corn markets, as well as the Guildhall stood on the site. The clock was built in 1892.

Cynghorwyr ar risiau Neuadd y Dre, c. 1870.
Councillors on the Guildhall steps, c. 1870.

Torf yn casglu o flaen Neuadd y Dre ar ddiwrnod etholiad.
A crowd gathered at the Town Hall possibly on polling day.

Mae'r ddau lun yn dangos angladd y Parch T.J. Morris, gweinidog Capel Mair, yn dod i fyny Stryd y Priordy yn 1908.
Both photographs show the funeral cortège of Revd T.J. Morris, pastor of Capel Mair, ascending Priory Street in 1908.

Trannoeth llifogydd y Mwldan yn 1875.
The aftermath of the Mwldan flood of 1875.

Ardal y Mwldan, c. 1900. Sylwch ar gerbydau D. James a'i fab.
Mwldan area, c. 1900. Note the row of coaches built by D. James, coachbuilders.

Gweithwyr yn adeiladu cyfnewidfa de i'r Brodyr Bowen gyferbyn â Neuadd y Dre, c. 1880.
Workmen building the Tea Exchange, opposite the Guildhall, for Bowen Brothers, grocers, c. 1880.

Corfflu o Wirfoddolwyr Reiffl Aberteifi yn sefyll o flaen Priordy Aberteifi, 1875.
The Cardigan Volunteer Rifle Corps at Cardigan Priory, 1875.

Ffoaduriaid o Wlad Belg yn cyrraedd Aberteifi, Rhagfyr 1919.
Belgian refugees at Cardigan, December 1919.

Mae'r ddau lun yn dangos pabell Eisteddfod Aberteifi yn 1909. Cynhaliwyd yr Eisteddfod ym Mharc y Rifle.
Both photographs show the Cardigan Eisteddfod tent. The Eisteddfod was held on Parc y Rifle in 1909.

Tynnwyd y ddau lun ar achlysur agor Gerddi Fictoria yn 1897. Perfformiwyd y seremoni gan Mrs Morgan Richardson.

Both photographs show the opening of the Victoria Gardens in 1897. The ceremony was performed by Mrs Morgan Richardson.

Basâr Mount Zion â'r plant yn dawnsio o gwmpas y Fedwen Fai.
Mount Zion Bazaar with children dancing around a maypole.

Casglu ar gyfer yr ysbyty, c. 1920.
Collecting for the hospital, c. 1920.

Carnifal: 'Lloyd George's New Deal'; Owen Jones, cigydd; Helena Williams, Llandudoch, fel Britannia; Margaret Morgan, Belmont, a Barbara Davies, Tymawr, 1935.
Carnival: 'Lloyd George's New Deal'; Owen Jones, butcher; Helena Williams, St Dogmaels, as Britannia; Margaret Morgan, Belmont, and Barbara Davies, Tymawr, 1935.

Yn barod am gêm o dennis, c. 1900.
'Anyone for tennis', c. 1900.

Ras y menywod yn Regatta. Sylwch ar y gwaith nwy yn y cefndir, c. 1910.
A women's race during the Regatta. Note the gasworks in the background, c. 1910.

Yr ysgol a gynhaliwyd yn Neuadd y Dre. Mae'r prifathro Mr Palmer yn y rhes flaen, c. 1890.
The school under the Guildhall. The master, Mr Palmer, is in the front row, c. 1890.

Gerddi Fictoria o flaen Ysgol y Sir, c. 1915.
Victoria Gardens with the County School in the background, c. 1915.

Dr Dan Rees, prifathro Ysgol Uwchradd Aberteifi, 1896–1932.
Dr Dan Rees, the headmaster of the County School, 1896–1932.

Clwb Beicwyr Aberteifi tu allan i Westy'r Llew Du, pencadlys y Clwb, c. 1890.
Cardigan Cycling Club outside the Black Lion Hotel, the club's headquarters, c. 1890.

Llun o aelod o'r clwb a'i feic 'penny farthing'. Tynnwyd y llun mewn iard o flaen cefnlen.
Portrait of a club member and his penny farthing bicycle. Note the photograph is taken in a backyard against a studio backdrop.

Gweinidog a diaconiaid Capel Bethania.
Minister and deacons of Bethania Chapel.
Rhes gefn, chwith ir dde/Back, left to right: T. Johns (Stafford House), J. Davies, *Parch*/Revd John Williams, John Roger Davies (William Street), *Rhes flaen*/Front row: J. James (Rhoshill), *Capten*/Captain Griffiths, John Williams, Evan Owen, D. Davies (Tŷ Newydd).

Maer a chyngor Aberteifi, c. 1920.
The mayor and council, Cardigan, c. 1920.
Rhes flaen: Y Maer, Capten Davies (Craiglea) ac ar y dde Dan Williams (Y Bwthyn); David Charles; John Evans (Board School); Tom (Trebared); David Williams; -?-; Cludwyr y Brisgyll: D.J. Rotie (ch), John Williams (dd). Ar y chwith: Griffiths (Tivy-side).
Front row: The mayor, Captain Davies (Craiglea) and on the right: Dan Williams (Y Bwthyn), David Charles; John Evans (Board School); Tom (Trebared); David Williams; -?-. Mace bearers: D.J. Rotie (left), John Williams (right). On the left: Griffiths (Tivy-side).

Sarsiant Evans sydd ar y dde. Bu farw yn 1969 dros 90 oed, c. 1895.
The policeman on the right is Sergeant Evans who died in 1969 in his nineties, c. 1895.

Daniel a John Evans, y llysieuwyr enwog, oedd yn byw ym Mhenbanc, Ferwig. Roedd y ddau'n ddiaconiaid yn, Tabernacl, Aberteifi. Tyrrai'r torfeydd i'w meddygfa yn 15 Pendre, Aberteifi gan dyngu'u bod yn gallu gwella cancr, c. 1907.

Daniel and John Evans, the famous herbalists, who lived at Penbanc, Ferwig. Both were deacons at Tabernacle, Cardigan. Crowds flocked to their surgery at 15 Pendre, Cardigan and claimed that the brothers could cure cancer, c. 1907.

Rhan o gynulleidfa Mount Zion gan gynnwys y gweinidog, y Parch George Hughes, yn dathlu canmlwyddiant Cenhadaeth y Bedyddwyr yn 1892.
Part of the congregation of Mount Zion Chapel including the Minister, Revd George Hughes, celebrating the centenary of the Baptist Mission in 1892.

David Wilson a fu'n gweithio i Jones 'Y Fish' Aberteifi cyn y Rhyfel Mawr, c. 1910. Collodd ei goes yn ystod y rhyfel ac wedyn agorodd siop bysgod yn gyntaf yn Stryd y Bont. Cegddu yw'r pysgodyn.

David Wilson who worked for Jones 'the Fish' of Cardigan before the First World War, c. 1910. He lost a leg in the war and opened his own fish business initially in Bridge Street. The fish is a hake.

Y car Ford 8 cyntaf yn cyrraedd Modurdy Gwalia – William James a'i Feibion yn 1933. Uchod gwelir Mr Lemon y rheolwr a maer y dre Mr David Williams.

The arrival of the first Ford 8 at William James & Sons, Gwalia Garage, Cardigan, in the early 1930s. The top photograph shows Mr Lemon the manager and Mr David Williams the Mayor of Cardigan.

Cilgerran

Fan cigydd a'i deithiwr, c. 1920.
Butcher's van and passenger, c. 1920.

Castell Cilgerran, c. 1890.
Cilgerran Castle, c. 1890.

Castell Cilgerran, c. 1910.
Cilgerran Castle, c. 1910.

Cilgerran, c. 1920. Gwelir y castell yn y cefndir ar y chwith. Cyfeiriwyd gyntaf at y castell ym 1165 pan y'i cipiwyd gan yr Arglwydd Rhys. Y mae iddo hanes cythryblus ac o'r unfed ganrif ar bymtheg safodd y castell yn wag. Dywedir i chwarelyddiaeth yn y ganrif ddiwethaf achosi ychwaneg o ddifrod i'r castell.

Cilgerran, c. 1920. The castle can be seen on the skyline, on the left of the photograph. It was first mentioned in 1165 when it was captured by the Lord Rhys. It had an eventful history and was last occupied in the sixteenth century. Nineteenth-century quarrying is said to have caused additional damage to the castle.

Stryd Fawr Cilgerran, c. 1900. Mae pwmp dŵr y pentref i'w weld yn glir.
Cilgerran High Street, c. 1900. The village pump can clearly be seen.

Stryd Fawr Cilgerran, c. 1910.
High Street, Cilgerran, c. 1910.

Rhyfel y Degwm yn ardal Cilgerran. Rhwng 1888 a 1894 câi Heddlu Sir Aberteifi gymorth heddluoedd eraill i dawelu'r terfysg a godai yn yr arwerthiannau a gynhelid dan orchymyn yr offeiriaid i hawlio arian degwm. Casglai torfeydd o ffermwyr yn yr arwerthiannau hyn gan ymddwyn yn afreolus. Dengys y llun heddlu Sir Benfro yn arwain gosgordd o heddlu siroedd Morgannwg a Chaerfyrddin. Gwelir 6 neu 7 gambo yn yr osgordd gyda thua 8 swyddog ym mhob cert – cyfanswm o 48 i dawelu'r terfysg.
Tithe Riots, Cilgerran area. From 1888 until 1894 the Cardiganshire Police had help from other forces to quell riots in Cardiganshire, brought about by sales held under distress warrants issued by clergymen for tithes. Large crowds of farmers assembled and behaved in a disorderly manner at the sales. The photograph shows a police contingent from Pembrokeshire leading the convoy from Glamorgan and Carmarthenshire. There are about 6 to 7 gambos in the convoy, averaging 8 officers per cart – a total of 48 to quell the riots.

Yn sefyll, chwith ir dde/Standing, left to right: PC3 W. Evans, PC26 J. James, PC29 J. Devonald, PC6 D. Davies. *Yn eistedd, chwith ir dde*/Seated, left to right: PC37 W. Morris, PC17 J. James, PC9 H. Warlow, PC43 John Lloyd. *Yn cerdded*/Walking: Mr Peterson, *Beili o Aberteifi*/Bailiff from Cardigan.

Gorsaf Reilffordd Cilgerran a Chorfflu o Wirfoddolwyr a Seindorf Aberteifi yn dathlu dychweliad Is Gapten Colby o Ryfel y Bŵr.
Cilgerran railway station with the Cardigan Volunteer Corps and band celebrating the homecoming of Lt. Colby from the Boer War.

Y Stryd Fawr yn ystod yr un dathliadau. Roedd Gwirfoddolwyr Aberteifi o'r Llynges yn bresennol hefyd.
The High Street during the same celebrations. The Cardigan Naval Volunteers were also present.

Y Faciwis yng Nghilgerran yn ystod y rhyfel diwethaf. Mae'n bosibl mai o Hythe, Swydd Caint y daeth y merched.
Evacuees in Cilgerran during the last war. The girls are thought to have come from Hythe in Kent.

Coelcerth i ddathlu Jiwbili Arian Sior V a'r Frenhines Mari ym 1935.
A large bonfire to celebrate the Silver Jubilee of George V and Queen Mary in 1935.

Bad dadlwytho yn cario llechi yn suddo ger castell Cilgerran, c. 1900.
A sunken lighter, probably carrying slate, by Cilgerran Castle, *c.* 1900.

Y 9.50 o Aberteifi yn cyrraedd Cilgerran.
The 9.50 from Cardigan approaching Cilgerran.

Sglefrio ar y Teifi ger Trollyn rhwng y chwareli a Chastell Malgwyn, c. 1895.
Skating on the frozen Teifi at Trollyn between the quarries and Castell Malgwyn, c. 1895.

Clwb Pêl-droed/Cilgerran Football Club.
Yn sefyll, chwith ir dde, Standing, left to right: John Lawrence Phillips, David John Edwards, Jimmy James, Waldo Jones, Richard James, Mathias Sambrook, Idwal Michael, Lewis Peters, Idris Morris. *Yn eistedd*/Sitting: Eddie Bowen, Llewelyn Davies, William Conway Watts Davies, Reg Morris, William Clifford Bowen, David Griffiths. *Rhes flaen*/Front: Elwyn Michael, David Jenkins.

Tom Mathias 1867–1940.
Tom Mathias, tyddynnwr, oedd ffotograffydd y pentref, ac ef a dynnodd nifer o'r lluniau sy'n dilyn yn y rhan hon a'r rhan ddilynol.
Tom Mathias was the local village photographer and smallholder. He was responsible for many of the photographs in this section and the following.

Aberdyfan, Pontrhydyceirt.
Cartref Tom Mathias.
This was Tom Mathias' house.

Olivia Griffiths, Neuadd Cilgerran.
Graddiodd o Goleg y Normal Bangor
c. 1910.
Graduated Bangor Normal College,
c. 1910.

Nesta, wyres Tom Mathias, a'i theganau.
Nesta and her toys. Nesta was Tom Mathias' granddaughter.

Ysgol Bridell, c. *1890.*
Bridell School, *c.* 1890.

Ysgol Bridell, c. *1920.*
Bridell School, *c.* 1920.

Ysgol Blaen-ffos, c. 1900.
Blaen-ffos School, c. 1900.
Mae'r disgyblion a'r athrawon i gyd mewn gwisg genedlaethol. Yn y rhes gefn ar y dde mae'r prifathro W.D. Williams. O'i flaen mae Miss Mathias, Cilgerran ac ar y chwith Mrs Glan Williams, Eglwyswrw.
The pupils and staff are all in national costume. On the back row, right, is the headmaster W.D. Williams, in front of him Miss Mathias of Cilgerran and on the left Mrs Glan Williams of Eglwyswrw.

Hannah Davies a'i merch Elizabeth (Simon) Penllyn, Cilgerran – gwneuthurwyr cwiltiau.
Local quilters Hannah Davies and her daughter Elizabeth (Simon) Penllyn, Cilgerran.

William Johnson (chwith/left) John Morgan (dde/right) corynglwyr/coraclemen, Cilgerran 1927.
Mae gorûyr John Morgan heddiw yn arbenigo mewn trawsblannu mêr esgyrn.
Mr Morgan's great grandson is today one of the country's leading bone marrow transplant specialists.

Ganny Williams, Chessboard House, Beili Dŵr.
Ganny Williams, Chessboard House, the Water Bailiff.

Gweithwyr melin lifio Cilgerran.
Cilgerran Sawmill Workforce.
Chwith ir dde/left to right: -?-, J.A. Devonald, W.E. Selby, W.G. Griffiths, E. Williams.

Y goeden fwyaf yn cyrraedd yr iard yn 1923.
The 'largest' log arriving in the yard in 1923.
Chwith ir dde/left to right: D.D. Thomas, D.G. Thomas, W.E. Selby, J. Devonald, *dynes â chamera*/lady with camera.

Ailadeiladu Pont Rhydyceirt, c. 1920.
Rebuilding Pont Rhydyceirt, c. 1920.
Chwith ir dde/left to right: *J. Michael a'i blant Teifryn a Tegwen*/J. Michael with his children Teifryn and Tegwen, B. Jenkins, B. Michaels, -?-.

Cowperiaid y pentref, c. 1892.
The village coopers, c. 1892.
Chwith ir dde/left to right: Johnny Michael Griffiths Thomas (1832–1901), Thomas Thomas (1860–1929) of Cnwcau.

Chwareli Cefn, Cilgerran, 1908.
Cefn Quarries, Cilgerran, 1908.
Cychwynnodd y gwaith llechi o ddifri yn ardal Cilgerran tua chanol y bedwaredd ganrif ar bymtheg pryd yr oedd rhyw dair chwarel ar ddeg yn gweithio. Caewyd yr olaf yn ystod y 1930au cynnar.
Quarrying began in earnest in the Cilgerran area in the mid-nineteenth century. Some thirteen small quarries were in operation during the period and the last one closed in the early 1930s.

Chwarel Dolbadau, Cilgerran, c. 1910.
Dolbadau Quarry, Cilgerran, c. 1910.

Gweithwyr y chwareli yn defnyddio bariau, c. 1930. Benjamin Michael, Brynowen sydd ar y chwith.
Quarry workers with bars, c. 1930. Benjamin Michael, Brynowen, is on the left.

Chwarel Cefn, Cilgerran, 1908.
Cefn Quarry, Cilgerran, 1908.
Llun sy'n dangos defnyddioldeb llechi. Mae'r gweithdy'n dal i sefyll heddiw.
A beautiful, posed and contrived photograph showing the range of uses that the slates could be put to. The workshop is still standing today.

Chwarel Fferm Fforest, c. 1910. James James, Maescoed yw gyrrwr y craen ager.
Forest Farm Quarry, c. 1910. The steam crane driver is James James, Maescoed.

Cynaeafu gwair,c. 1910. Dau beiriant lladd gwair yn cael eu tynnu gan geffylau.
Haymaking, c. 1910. Two horse drawn mowing machines.
Chwith ir dde/left to right: Mrs Mathias, T.J. Davies, Brynhyfryd; -?-; T.J. George, Penwernddu; James Mathias; -?-; Tilla Mathias.

Peiriant lladd gwair yn cael ei dynnu gan dryc agored, c. 1920. Tom a James Mathias.
Mowing machine towed by a truck without a body, c. 1920. Tom and James Mathias.

Troi gwair.
Turning hay.

Hugh a Myrddin Jones, Cilfowyr, yn mydylu gwair yn Aberdyfan.
Hugh and Myrddin Jones, Cilfowyr, stacking hay at Aberdyfan.

Mydylu gwair yn Aberdyfan, tyddyn Mathias, c. 1910.
Stacking the hay at Aberdyfan, Mathias' smallholding, c. 1910.

Mydylu gwair, c. 1920, yn Aberdyfan. Mr a Mrs Tom Mathias a'u nith Pauline.
Stacking hay, c. 1920, at Aberdyfan. Mr and Mrs Tom Mathias and their niece Pauline.

Milwyr yn defnyddio injan stêm i glymu gwair, c. 1914.
Soldiers using a traction engine to bind hay, c. 1914.

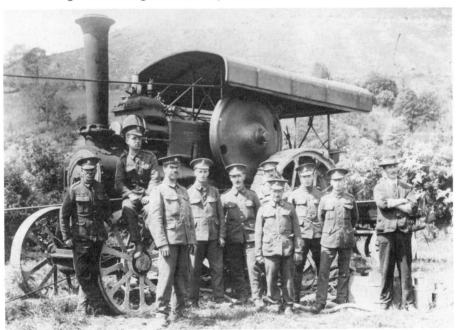

Injan stêm a milwyr, c. 1914.
Traction engine and soldiers, c. 1914.

Dymchwelwyd tafarn y Tivy-side, Llechryd, c. 1933.
The Tivy-Side Inn at Llechryd was demolished, c. 1933.

Llifogydd yn Llechryd. Y postman, Mr James Phillips yn sicrhau bod y llythyrau'n cyrraedd pen eu taith.
Floods at Llechryd. The postman Mr James Phillips ensuring the mail gets through.

Gwneud cwrwgl, c. 1914. Mr William Griffiths, Brengast a'i fab Moses.
Making a coracle, c. 1914. This man is William Griffiths, Brengast, with his son Moses.

David Jones, ei wraig a'i deulu, Fferm Castell Malgwyn, Llechryd, c. 1910.
David Jones, his wife and family from Castell Malgwyn Farm, Llechryd, c. 1910.

Ceffyl a chart yn cario, chwith ir dde:
Horse and trap conveying, left to right:
Miss Merle Williams, Mrs Bess Davies, Miss Patti George, c. 1920.

Tractor cynnar yn tynnu peiriant clymu gwair ar Fferm Castell Malgwyn, 1930.
Early tractor towing a binding machine at Castell Malgwyn Farm, 1930.

Troi'r gwair. Y gyrrwr yw James Evans, Fferm Castell Malgwyn.
Turning hay. The driver is James Evans, Castell Malgwyn Farm.

Peiriant clymu gwair, c. 1920. Harry May, Haulwen, yw'r dyn â'r gyllell.
Hay binding machine, c. 1920. The man with the hay knife is Harry May, Haulwen.

Teifryn Thomas, Woodbine House (yr hen Swyddfa Bost) ar ei dreisicl.
Teifryn Thomas, Woodbine House (the old Post Office) on his tricycle.

Margaret Ann Jones (née Thomas), Plas y Berllan yn ei gwisg Girl Guide, 1925.
Girl Guide, 1925. Margaret Ann Jones (née Thomas), Plas y Berllan.

Dosbarth llaethyddiaeth Llandygwydd, c. 1930.
A dairy class at Llandygwydd, c. 1930.

Dyn yn atgyweirio'r tŵr yn Eglwys Llandygwydd. Fe'i dymchwelwyd yn ddiwed-darach.
Man repairing the steeple at Llandygwydd Church. It was later demolished.

Ffynhonne, Boncath, c. 1871.

Gweision Clynfiew, c. 1906.
The servants at Clynfiew, c. 1906.
Rhes gefn/Back, *chwith ir dde*/left to right: Esther (*gegin*/kitchen), ? Evans (*gegin*/kitchen), *gwniadwraig*/sewing maid, Davies (*Cogyddes*/cook), *nyrs plant*/children's nurse, *gwastrawd*/groom; *golchwraig*/laundry maid, David Thomas (*coetsmon*/coachman). *Rhes flaen*/Front: Davenport (*gwas*/footman), Henry (*gwastrawd*/groom), Dennis Saxon (*prif wastrawd*/head groom).

121

Mr a Mrs Saunders Davies, Pentre, Capel Newydd, a'r teulu, c. 1920.
Mr and Mrs Saunders Davies, Pentre, Newchapel, and family, c. 1920.

Dyrnu yn Penwernddu, Boncath. Thomas John George yn pwyso ar y tractor.
Threshing, Penwernddu, Boncath. Thomas John George standing by the tractor.

Y briodas gyntaf yn Fachendre, Boncath.
First wedding in Fachendre, Boncath.
Rhes gefn/Back row: David Jones (*brawd y briodferch*/bride's brother); *Parch*/Revd Davies (*pregethwr*/minister of ? Crymych); David Jones (*pregethwr lleyg*/lay preacher); -?-; Thomas, Penfedw, Boncath; D. Nicholas Taylor, Boncath. *Rhes ganol*/Middle row: *Parch*/ Revd A.H. Rodgers (Babell & Capel Wenydd); *Parch*/Revd W. Phillips (Tŷ Rhos & Fachendre). *Y drydedd res*/Third row: *chwaer y Briodfab*/bridegroom's sister; William Jones (*tad y briodferch*/bride's father); Rees Owen Rees (*y Priodfab*/bridegroom), Elizabeth Jones (*y briodferch*/bride); Mrs Jones (*mam y briodferch*/bride's mother); Alys Jones (*chwaer y briodferch*/bride's sister). *Rhes flaen*/Front row: Herbert Jones (*brawd ieuengaf y briodferch*/bride's youngest brother); Florrie Jones (*chwaer y briodferch*/bride's sister); Adeline Griffiths (*ffrind y briodferch*/friend of bride); Edgar Jones (*brawd y briodferch*/ bride's brother).

James Davies, Aber-cuch (1876–1955), c. 1906.

James Davies, Aber-cuch, c. 1935.

John Davies, Aber-cuch (1860–1930), c. 1920.
Tan yn ddiweddar roedd pentref Abercuch yn enwog fel canolfan durnio. Roedd y brodyr John a James Davies, meibion John Davies (1860–1930) yn grefftwyr enwog yn yr ardal.
Until recently the village of Aber-cuch was an important centre for woodturning. The brothers John and James Davies, sons of John Davies (1860–1930), were well-known craftsmen in that area.

Codi pont newydd Aber-cuch, c. 1908. Mr J.P. Baille, Bryndyfan, y peiriannydd, yw'r un sy'n gwisgo'r het wellt.
The erection of Aber-cuch's new bridge, c. 1908. The engineer, Mr J.P. Baille, Bryndyfan, is wearing the straw hat.

Y bont orffenedig yn Aber-cuch, c. 1908.
The completed bridge at Aber-cuch, c. 1908.

Grŵp mewn cart asyn Aber-cuch, c. 1908.
Group in a donkey cart, Aber-cuch, c. 1908.

Coryglwyr yng Nghenarth, c. 1900.
Coraclemen at Cenarth Falls, c. 1900.

Coryglwr islaw'r bont yng Nghenarth, c. 1870.
Coracleman below the bridge at Cenarth, c. 1870.

Afon Teifi: edrych tua'r gorllewin yng Nghenarth, c. 1870.
River Teifi: looking west at Cenarth, *c.* 1870.

Coryglwyr yng Nghenarth, c. 1940.
Coraclemen at Cenarth, *c.* 1940.

Coryglwyr yng Nghenarth, c. 1950.
Coraclemen Cenarth, c. 1950.
Chwith ir dde/left to right: Fred Llewellyn; Will Jones, Y Gof; John Jones, Y Gof; Emlyn Jones, Y Gof.

Will Jones, Y Gof, yng Nghenarth mewn cwrwgl i ddau.
Will Jones, Y Gof, at Cenarth in a coracle 'made for two'.

Castellnewydd Emlyn • Newcastle Emlyn, Rhydlewis, Dre-fach Felindre

Castell Castellnewydd Emlyn, c. 1870.
Newcastle Emlyn Castle, *c.* 1870.

Pont Castellnewydd Emlyn, c. 1870.
Newcastle Emlyn Bridge, c. 1870.

Y Teifi islaw'r bont yng Nghastellnewydd Emlyn, c. 1870.
The Teifi below the bridge at Newcastle Emlyn, c. 1870.

Pont Castellnewydd Emlyn, c. 1900.
Newcastle Emlyn Bridge, c. 1900.

Atpar, c. 1900.
Adpar, c. 1900.

Stryd y Bont, Castellnewydd Emlyn, c. 1870.
Bridge Street, Newcastle Emlyn, c. 1870.

Stryd y Bont, Castellnewydd Emlyn, c. 1900.
Bridge Street, Newcastle Emlyn, c. 1900.

Stryd y Bont, Castellnewydd Emlyn, c. 1910.
Newcastle Emlyn, Bridge Street, c. 1910.

Stryd y Bont, Castellnewydd Emlyn, c. 1910.
Newcastle Emlyn, Bridge Street, c. 1910.

Adeiladu tŵr Eglwys y Drindod Sanctaidd, Castellnewydd Emlyn. Adeiladwyd yr eglwys gyntaf ym 1842.

Building the tower of Holy Trinity Church, Newcastle Emlyn. The church was first built in 1842.

Newcastle Emlyn Market Buildings

Marchnad Castellnewydd Emlyn, c. 1900. Mae'r adeilad ar safle hen farchnad gano-
loesol y dre.
Market Buildings, Newcastle Emlyn, c. 1900. The building occupies the site of the town's
medieval market place.

Newcastle Emlyn.   Sycamore St

*Stryd y Sycamorwydden, Castellnewydd Emlyn, c. 1900. Fel y datblygai'r dref,
ehangodd o Stryd y Castell a'r ardal o gwmpas y farchnad ar hyd y stryd a adwaenir
heddiw fel Stryd y Sycamorwydden. Fe'i gelwid ar ôl y goeden sy'n tyfu yn y stryd.*
Newcastle Emlyn, Sycamore Street, c. 1900. As the town developed it spread from Castle
Street and the area around the market along what is now Sycamore Street. The street is said
to have been named after the tree which is shown growing in the middle of the street.

Sgwâr y Ffynnon, Castellnewydd Emlyn, c. 1930.
Newcastle Emlyn, Fountain Square, c. 1930.

Rhes Cawdor, Castellnewydd Emlyn yn edrych tuag at Sgwâr y Ffynnon, c. 1910.
Newcastle Emlyn, Cawdor Terrace looking towards Fountain Square, c. 1910.

Castellnewydd Emlyn, c. 1890. Cario dŵr o Stryd y Bont.
Newcastle Emlyn, c. 1890. A group fetching water from Bridge Street.

Siop groser y Brodyr Evans, c. 1890. Sylwch ar y cig moch yn hongian tu allan.
Evans Brothers Grocers, c. 1890. Note the bacon and hams hanging up outside.

Swyddfa Bost yn Stryd y Sycamorwydden, Castellnewydd Emlyn, c. 1890. Mae poster yn y ffenestr yn rhybuddio ymfudwyr i Brasil i gymryd gofal!
The Post Office, Sycamore Street, Newcastle Emlyn, c. 1890. A notice in the window exorts emigrants to Brazil to be cautious!

EWCASTLE EMLYN & DISTRICT UNITED CHOIR. SECOND CHORAL WINN
NATIONAL EISTEDDFOD CARMARTHEN 1911.

Tynnwyd y llun ar y trac beiciau ym Mharc Caerfyrddin lle cynhaliwyd seremoni'r Orsedd. Gwilym Ceiriog enillodd y Gadair a'r Parch J.J. Williams y Goron yn 1911.
The choir posed for the photograph on the cycle track in Carmarthen Park where the Gorsedd ceremony was held. In 1911 the Chair was won by Gwilym Ceiriog and the Crown by Revd J.J. Williams.

Dosbarth Gwyddoniaeth Rhydlewis, 1896.
Rhydlewis Science class, 1896.

Elizabeth Mary Jones (Moelona 1877–1953). Fe'i ganed ar Fferm Moylan, Rhydlewis, yr ieuengaf o dri phlentyn ar ddeg John a Mary Owen. Athrawes ydoedd ac awdur dros 30 o lyfrau i blant ac oedolion. Ei nofel enwocaf yw Teulu Bach Nantoer, 1913.
Elizabeth Mary Jones (Moelona 1877–1953). She was born on Moylan Farm, Rhydlewis, the youngest of John and Mary Owen's 13 children. A teacher and author, she wrote over 30 books for adults and children. Her most famous is *Teulu Bach Nantoer*, 1913.

Teilwriaid wrth eu gwaith yn Rhydlewis, c. 1900.
Tailors at work in Rhydlewis, c. 1900.

Rhydlewis ger Capel Hawen, c. 1910.
Rhydlewis by Capel Hawen, c. 1910.

Rhydlewis, c. 1930.

Efail y Gof, Pentrecagal, c. 1890.
The Smithy, Pentrecagal, c. 1890.

Aelodau o Gapel Tabernacl, Pentrecagal, 1911/12.
Members of Tabernacle Chapel, Pentrecagal, 1911/12.

Gorsaf Reilffordd Henllan, c. 1900. Caewyd yr orsaf yn 1952 ond fe'i hailagorwyd yn ystod y blynyddoedd diwethaf ar gyfer twristiaid.
Henllan railway station, c. 1900. The station was closed in 1952 but has reopened in the last few years as a tourist railway.

151

Plas Llysnewydd, c. 1871. Fe'i cynlluniwyd gan John Nash a'i adeiladu ar safle tŷ cynharach a oedd wedi cael ei ddymchwel erbyn 1790. Cartref y teulu Lewes; fe'i dinistriwyd â ffrwydriadau gan y perchennog yn 1971.

Llysnewydd Mansion, c. 1871. The house was designed by John Nash c. 1800 and built on the site of an earlier house which had been pulled down by 1790. The home of the Lewes family, it was destroyed by the owner with the assistance of explosives in 1971.

Bwthyn bach to gwellt yn ardal Dre-fach, c. 1900.
Small thatched cottage in the Dre-fach area, c. 1900.

Gweithwyr stad yn ardal Dre-fach, c. 1900.
Estate workers in the Dre-fach area, c. 1900.

Y Bont, Felindre, c. 1910.
The Bridge, Felindre, c. 1910.

Gweithwyr lleol yn adeiladu pwll y rhod ym melin wlân Pantybarcud, Cwmhiraeth ger Dre-fach Felindre.
Workers building a wheel pit at the woollen mill Pantybarcud, Cwmhiraeth near Dre-fach Felindre.

Ar 11 Gorffennaf 1919 difrodwyd rhan helaeth o Felinau'r Cambrian gan dân. Ar y safle heddiw ceir melin wlân yn ogystal â'r Amgueddfa Diwydiant Gwlân – cangen o Amgueddfa Genedlaethol Cymru.

On 11 July 1919 a fire swept through the Cambrian Mills causing extensive damage. Today part of the complex is still a woollen mill but the remaining buildings are used for the Museum of the Woollen Industry, a branch of the National Museum of Wales.

Eisteddfod Flynyddol Dre-fach Felindre a gynhelid dan nawdd Bedyddwyr y cylch, 1920.
Dre-fach Felindre's annual Eisteddfod held under the patronage of the local Baptists, 1920.

Côr Meibion Bargoed Teifi, c. 1900.
Bargoed Teify Male Voice Party, c. 1900.

Cymdeithas Gorawl Bargoed Teifi, c. 1930.
Bargoed Teify Choral Society, c. 1930.

Band Pres Dre-fach, c. 1910.
Dre-fach Brass Band, c. 1910.

Cymanfa Dre-fach, c. 1910.

*Talfan Davies, Mabon ac un o berchnogion y ffatrïoedd gwlân efallai, Dre-fach Felindre,
c. 1920.*
Talfan Davies, Mabon and one of the mill owners perhaps, Dre-fach Felindre, c. 1920.

DIOLCHIADAU • ACKNOWLEDGEMENTS

Casglwyd y deunydd ar gyfer y gyfrol hon gan yr aelodau canlynol o staff Adran Gwasanaethau Diwylliannol Cyngor Sir Dyfed, sy'n cynnwys Archifau, Llyfrgelloedd ac Amgueddfeydd:
This book was compiled by members of staff of the Cultural Services Department of Dyfed County Council. The department comprises Archives, Libraries and Museums and the following staff were directly involved:

Chris Delaney • Joan Evans • Jenny Gammon • William Howells
Clive Hughes • Dara Jasumani • Mary John • Janet Marks • Marion Male
David Moore • John Owen • Geraint Phillips • Dewi Thomas
Elizabeth Twist.

Diolch i'r holl unigolion sydd, dros y blynyddoedd, wedi rhoi neu fenthyca lluniau i'r Adran a diolch hefyd i'r unigolion a'r sefydliadau a enwir isod sydd wedi'n cynorthwyo trwy roi caniatâd i atgynhyrchu'r lluniau sydd yn eu meddiant:
In addition to thanking the numerous donors who, over the years, have provided photographs for the department's collections, the assistance of those individuals and organizations who gave permission for the reproduction of photographs in their possession must be acknowledged. These include:

Amgueddfa Ceredigion/Ceredigion Museum • *Llyfrgell Genedlaethol Cymru*/
National Library of Wales • *Amgueddfa Werin Cymru*/Welsh Folk Museum
Amgueddfa Diwydiant Gwlan Cymru/Museum of the Welsh Woollen Industry
E.T.D. Bowen • Donald Davies • James Davies Ltd. • Max and Peggy Davis
Roger Worsley.